RUTH

Une femme dont la loyauté fut plus forte que le chagrin

Raconté par Marlee Alex

Illustrations d'Alfonso Ruano

4

I était une fois une jeune femme qui s'appelait Ruth et qui vivait au pays de Moab. Ruth était mariée à un gentil jeune homme dont la mère, Noémi, vivait avec eux. Ruth et Noémi étaient de bonnes amies. Le fils aîné de Noémi et sa femme Orpa habitaient tout près. Tous ensemble, ils formaient une famille unie.

Pendant plusieurs années, la vie fut agréable. Ruth n'avait pas d'enfant, mais elle était contente et heureuse. Jamais elle n'aurait imaginé, dans ses rêves les plus saugrenus, qu'elle deviendrait un jour l'arrière-grand-mère d'un roi puissant.

5

Les années passèrent. Puis les maris de Ruth et d'Orpa moururent tous les deux. Ce fut un moment très triste. Leurs maris manquaient terriblement à Ruth et à Orpa, mais Noémi était aussi triste d'avoir perdu ses deux fils. En plus du deuil de leurs bien-aimés, les femmes s'inquiétaient de leur avenir. A cette époque, une femme ne pouvait pas trouver du travail et se suffire à elle-même. Mais, il n'y avait plus personne pour prendre soin de Ruth, d'Orpa et de leur belle-mère Noémi.

Noémi s'assit avec les deux jeunes femmes. Les yeux remplis de larmes, elle leur dit: "Il y a dix ans, je suis venue du pays d'Israël. Je suis née là-bas, j'y ai grandi et je m'y suis mariée. Mes deux fils y sont nés avant notre départ pour Moab. Maintenant qu'ils sont morts, mon pays me manque. Alors je vais rentrer en Israël où les gens adorent le seul vrai Dieu. Et puis, les récoltes ont été bonnes là-bas, et il y aura beaucoup à manger. Tout ira bien pour moi."

Ruth l'interrompit. "Mais, chère Noémi, qu'allons-nous faire? Nous t'aimons comme si tu étais notre propre mère!"

Noémi répondit: "Vous pouvez venir, si vous voulez me suivre. Mais il serait préférable que vous retourniez à la maison de vos parents ici dans ce pays. Ils pourront vous aider toutes les deux à trouver un nouveau mari, et à élever une famille. Vous méritez une vie meilleure que celle que je pourrais vous procurer."

Noémi embrassa Ruth et la serra bien fort contre elle. Puis elle se tourna vers Orpa et elle la prit dans ses bras. "Je vous aime toutes les deux comme si vous étiez mes propres enfants. Vous avez été des filles loyales envers moi," dit-elle tendrement. "Rentrez chez vous maintenant, car je n'ai plus rien à vous offrir."

6

Ruth pleurait. Orpa se mit à pleurer elle aussi. Alors Noémi ne put retenir ses larmes. Les femmes pensaient qu'elles ne se reverraient plus jamais. Orpa embrassa Noémi une autre fois, puis elle emballa ses affaires avant de retourner à la maison de son enfance.

Mais Ruth s'accrocha à Noémi et cria: ''Je veux aller avec toi en Israël. Je veux rester avec toi!''
Noémi insista: ''Écoute, Ruth, Orpa est repartie chez les siens. Tu dois faire la même chose.''

''S'il te plaît, ne me fais pas rentrer!'' plaida Ruth. ''Je veux aller là où tu iras, et vivre là où tu vivras. Je veux devenir une des filles d'Israël, comme toi, et adorer le seul vrai Dieu. Quand je mourrai, je veux qu'on m'enterre à côté de toi.''

Ruth n'allait pas changer d'avis. Alors Noémi ne dit plus rien.

Ruth et Noémi partirent à pied pour Israël. Bien des jours et des nuits après, elles arrivèrent à Bethléem, le village où Noémi avait grandi. Elles étaient fatiguées et n'avaient plus d'argent. Elles avaient faim et soif. Leurs pieds étaient douloureux et couverts d'ampoules.

Tout le monde était occupé à Bethléem, car la moisson de l'orge venait à peine de commencer. Mais les gens s'arrêtaient pour regarder, se demandant qui étaient ces deux étrangères. C'est alors qu'une dame âgée reconnut sa vieille amie. ''Est-ce que ce ne serait pas Noémi ?'' demanda-t-elle.

''Tu ne dois plus m'appeler Noémi,'' répondit celle-ci, ''car ce nom veut dire agréable.

Et ma vie ne l'est plus. Appelle-moi maintenant par un nom qui signifie amère, parce que c'est ainsi que je me sens. J'ai quitté ce village comblée et heureuse, et c'est vide que j'y reviens.'' Noémi avait pitié d'elle-même. Mais Ruth voulait la réconforter.

Après une bonne nuit de sommeil, Ruth dit à Noémi : ''Je vais essayer de nous trouver quelque chose à manger. On moissonne l'orge à présent. Peut-être que je pourrai ramasser un peu du grain qu'on aura laissé dans les champs. Nous aurons alors de quoi nous faire de la soupe à l'orge''.

Ruth s'attacha ainsi un foulard autour de la tête et elle partit à la campagne. Elle demanda la permission de ramasser le grain laissé au sol dans le premier champ qu'elle aperçut. Puis elle se mit à travailler le long des haies du champ. Ce champ appartenait à un homme appelé Boaz. Ruth ne savait pas que Boaz était un parent de Noémi.

Cet après-midi là, Boaz vint au champ pour surveiller la moisson. ''Qui est cette fille là-bas?'' demanda-t-il à ses ouvriers.

''Elle est nouvelle au village,'' répondit l'un deux. ''C'est la belle-fille de Noémi, et elle vient du pays de Moab. Elle est ici depuis l'aube et elle ne s'est guère arrêtée pour se reposer.''

Boaz appela Ruth. ''Salut!'' lui dit-il. ''C'est bien. Tu peux rester dans mon champ et ramasser tout le grain qui tombe derrière les moissonneurs. Seulement, reste derrière les femmes.

Je veillerai à ce qu'aucun des hommes ne t'ennuie. Et lorsque tu auras soif, bois de l'eau des jarres que mes serviteurs remplissent.''

Ruth était étonnée de voir Boaz aussi amical. ''Pourquoi es-tu si aimable envers une étrangère comme moi?'' demanda-t-elle.

''Eh bien, je sais qui tu es!'' répondit Boaz. ''Tu es la belle-fille de Noémi. J'ai entendu dire combien tu as été bonne à son égard.

Tu as même quitté ton pays de Moab pour venir en Israël et pour t'y installer sous la protection du Seigneur Dieu. Que Dieu te rende heureuse et qu'il t'encourage dans ton travail!''

''Oh, merci, mon seigneur!'' s'exclama Ruth. ''Et merci pour la gentillesse que tu montres envers moi, bien que je ne sois même pas une de tes employées.''

A l'heure du repas, Boaz l'appela. "Viens, Ruth. Tu peux partager notre nourriture." Ruth rejoignit Boaz et les autres moissonneurs.

On lui offrit autant de grain rôti et de pain qu'elle pouvait en manger. Et elle en emballa aussi pour Noémi.

Quand Ruth fut repartie au champ après le repas, Boaz dit à ses serviteurs: ''Laissez-la ramasser tout le grain qu'elle voudra. Faites même exprès de laisser tomber quelques épis pour elle.''

Ruth continua à travailler jusqu'au soir. Puis elle rentra chez Noémi. Ruth battit le grain pour le séparer de la paille. Elle vit alors qu'elle avait assez d'orge pour remplir un grand panier. Tout ce grain durerait très longtemps.

15

Noémi était à la fois surprise et contente.
"Où as-tu bien pu trouver toute cette orge,
Ruth? Quelqu'un a dû être très gentil envers
toi. Qu'il soit heureux! Dis-moi, comment
t'es-tu débrouillée pour en ramasser
autant?"

Ruth raconta à Noémi sa rencontre avec
Boaz et tout ce qui s'était passé ce jour-là.

"Merci, Seigneur!" s'exclama Noémi.
"Savais-tu que cet homme, Boaz, était un de
nos parents?"

''Non, mais je me demandais pourquoi il était si gentil pour moi. Il m'a même dit que je pourrais rester et ramasser le grain dans son champ jusqu'à la fin de la moisson!''

''C'est merveilleux, Ruth! Et si tu restes près des autres femmes qui moissonnent, comme Boaz te l'a demandé, je ne serai pas inquiète du tout pour toi.''

Ruth et Noémi eurent assez à manger tout au long de l'été. Elles commencèrent à s'habituer à leur nouvelle vie. Or un jour, Noémi dit à Ruth : "Il est temps que tu te remaries, Ruth. Je voudrais t'aider à trouver un bon mari."

"Noémi, tout va bien pour nous. Dieu continuera de s'occuper de nous," répondit Ruth.

Mais Noémi fit comme si elle n'avait pas entendu. "Et Boaz ?" continua-t-elle. "Après tout, il a été très gentil. Il ferait un bon mari. Tu sais, ce soir, il ira travailler là où on sépare le grain de la paille."

"Mais, Noémi," répondit Ruth, "être gentil, c'est une chose. Se marier, c'en est une autre. Es-tu sûre que ce soit comme cela que je trouverai un mari?"

Noémi expliqua: "Dans ce pays, lorsqu'un homme meurt, la coutume veut que son plus proche parent prenne soin de sa famille. Ce serait naturel et juste qu'il se marie avec toi."

21

Ruth fut enfin d'accord. "Bien, Noémi, je ferai tout ce que tu diras."

"Écoute, ma fille. Voilà ce que tu vas faire. Prends un bain chaud et revêts-toi de ta plus belle robe. Mets-toi aussi quelques gouttes de parfum derrière les oreilles.

Puis va là où Boaz sépare le grain de la paille, mais arrange-toi pour qu'il ne te voie pas. Lorsqu'il aura fini son repas du soir et qu'il se couchera, attends qu'il s'endorme. Alors, tu iras vers lui et tu te coucheras à ses pieds."

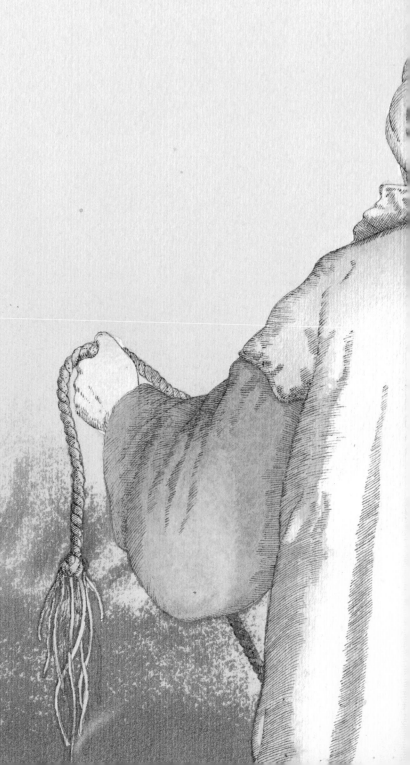

Cette nuit-là, Boaz s'éveilla et il remarqua que quelqu'un était couché à ses pieds. "Qui es-tu?" murmura-t-il dans la nuit.

"C'est moi, Ruth, ta proche parente," répondit Ruth. "Je suis ici pour que tu me protèges. J'ai besoin de la sécurité que procure un bon mariage."

"Mais, Ruth, que le Seigneur te rende heureuse!" s'exclama Boaz. "Ta loyauté envers moi est aussi grande que ta loyauté envers Noémi. Veux-tu te marier avec moi, plutôt que de chercher un homme plus jeune? Tout le monde à Bethléem sait que tu es une femme remarquable. Si tu devenais ma femme, ce serait un grand honneur pour moi."

Ainsi Boaz et Ruth se marièrent. L'année
suivante, ils eurent un enfant.

26

27

Noémi était heureuse de devenir grand-mère. Elle s'exclama: "Ruth, tu m'as rendue plus heureuse que plusieurs fils. Ce petit-fils me rend jeune à nouveau!"

Les voisins de Noémi dirent: "Nous pensons que tu devrais appeler ce garçon Obed. Peut-être sera-t-il célèbre un de ces jours?" (Et Obed devint le grand-père du plus grand roi d'Israël, le roi David.)

29

Malgré sa propre peine et sa tristesse, Ruth avait été loyale envers Noémi. Elle l'avait suivie en Israël et elle avait travaillé fort pour assurer leur nouvelle vie à toutes les deux. Boaz montra alors sa gentillesse envers Ruth.